GOSCINNY ET UDERZO PRÉSENTENT

L'ANNIVERSAIRE D'ASTÉRIX ET OBÉLIX

Le livre d'Or

Octobre 1959. Déjà un demi-siècle !

Comme le temps passe !

Je me souviens de ma naissance comme si elle avait eu lieu avant-hier. Mes deux géniteurs avaient choisi de me faire naître dans les pages d'une nouvelle revue, « Pilote », revue maternelle qui verra naître également bien d'autres héros qui rempliront ses pages. C'est ainsi que nous avons gambadé joyeusement au travers de nos multiples aventures pendant dix-huit années merveilleuses jusqu'au jour où... l'un de nos deux pères, René Goscinny, le grand René nous a quittés prématurément pour rejoindre les jardins merveilleux du Paradis Gaulois...

A partir de cet instant, aux dires de certains, nous étions censés, moi, Obélix et les autres, devoir le rejoindre dans son éternité, c'était certain. Mais après la traversée d'une bien triste et pénible période, notre second père, celui qui avec son crayon nous avait donné forme, a pris le parti de continuer seul à nous faire vivre dans d'autres aventures. C'est toi lecteur qui, par ton intervention et tes encouragements, lui a permis de croire à ce pari dangereux.

Il fallait y croire car, encore et toujours pour certaines âmes charitables, ce serait tâche perdue car l'un sans l'autre il ne pouvait y avoir d'espoir. Or le pari est gagné et le succès de nos aventures ne s'est jamais démenti.

C'est ainsi que nous avons appris que les imbéciles possèdent cette immense vertu de toujours croire à ce qu'ils pensent, ce qu'ils disent et ce qu'ils écrivent...

Astérix

LES ÉDITIONS ALBERT RENÉ

26, AVENUE VICTOR HUGO 75116 PARIS.

www.asterix.com

Dans ta voix Astérix, résonne le timbre de la mienne. Dans mes veines coule ton encre, dans les tiennes coule mon sang. Et nos voix conjuguées évoquent ensemble aujourd'hui une vie, la tienne. Toi, tu es né de l'amitié qui unissait mon père à Albert Uderzo. Une amitié parfaite où l'un est ce que l'autre n'est pas. Et réciproquement ! A la source de cette amitié-là, sont nés à leur tour un village et ses habitants, quelques dizaines de sangliers, un Jules César et ses légions parfois désabusés par une improbable résistance. Sont nés surtout beaucoup de sourires et autant de fous rires. Sont nées aussi quelques vocations. De cette amitié-là sont mortes beaucoup de réticences à la lecture.

Mais en commun nous avons une dette, Astérix. L'un de tes créateurs est mort un matin de novembre 1977. Mon père. Tu aurais pu t'éteindre. T'éteindre sans t'effacer de la mémoire de tes lecteurs. Mais tu en serais resté là. Un peu comme moi j'en serais restée là, figée à neuf ans. Oui mais nous n'étions pas seuls. Toi il te restait un créateur et moi, il me restait l'espoir qu'il te fasse vivre. Que tu continues envers et contre le sort qu'un génie en peine de mal ou en mal de peine nous avait jeté. Comme un mot d'enfant lancé sur l'air d'une comptine, orpheline toute neuve j'ai prié : «Si Astérix survit, alors je jure d'être persuadée que la mort est une mauvaise farce, mais une farce. Que l'imagination permet ce que la réalité interdit.»

Et tu as vécu. Et moi aussi. Grâce à la volonté de cet Orphée qui a refusé ce que le destin lui avait imposé. Mais toi, Astérix, plus malin que lui, tu ne t'es pas retourné. Tu as regardé devant. Et devant il y avait la vie. Tu avais compris l'essentiel, l'histoire devait continuer.

Un anniversaire c'est la promesse faite à soi-même que l'on fera honneur à cette année qui se présente. Un anniversaire c'est un serment offert à ceux qu'on aime pour leur confirmer ce qu'ils savent déjà et parfois feignent d'ignorer : l'importance qu'ils tiennent dans notre vie. Un anniversaire c'est enfin le bilan qui s'impose des quatre saisons écoulées. De la neige aux bourgeons, ai-je été digne de toi, de vous ? Alors Astérix, permets-moi au nom de ce père qui nous a façonnés l'un et l'autre d'être certaine que grâce au talent d'Albert tu sauras te montrer digne de ce jubilé, qu'avec ce livre dont tu es le centre et le chemin de ronde, tu diras à tes lecteurs que leur fidélité est à la mesure de ta constance, et qu'enfin s'il fallait d'un mot résumer les saisons passées, je parlerais simplement d'avenir.

Anne Goscinny

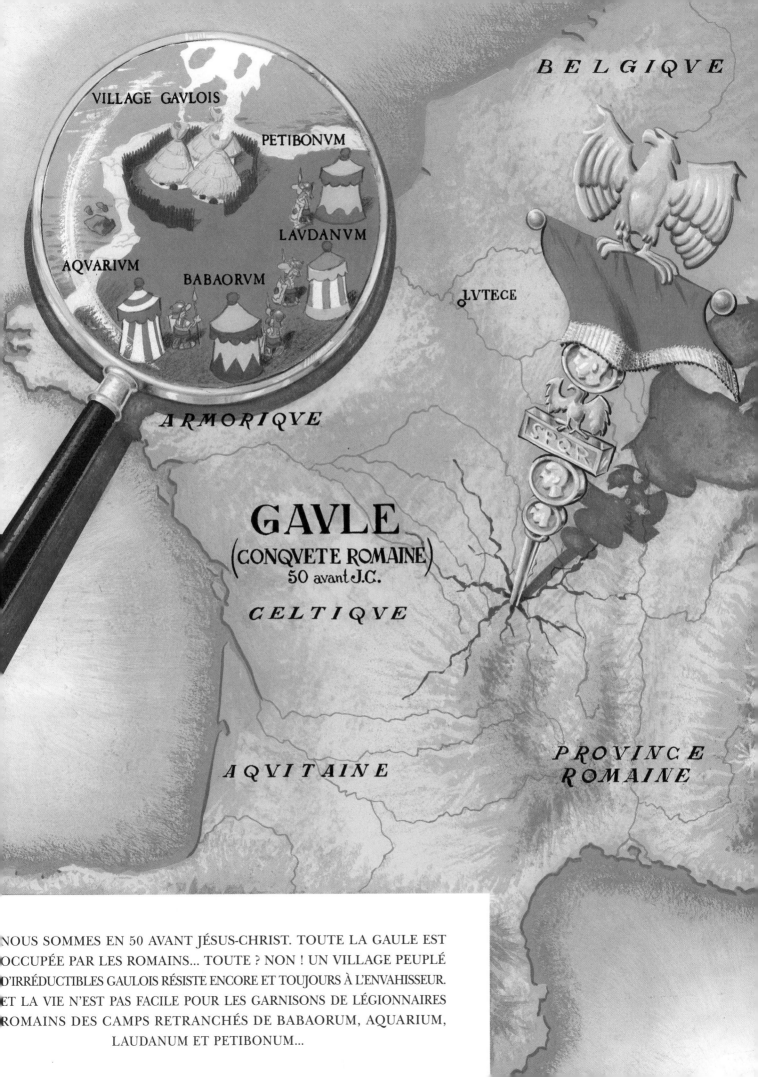

NOUS SOMMES EN 50 AVANT JÉSUS-CHRIST. TOUTE LA GAULE EST OCCUPÉE PAR LES ROMAINS... TOUTE ? NON ! UN VILLAGE PEUPLÉ D'IRRÉDUCTIBLES GAULOIS RÉSISTE ENCORE ET TOUJOURS À L'ENVAHISSEUR. ET LA VIE N'EST PAS FACILE POUR LES GARNISONS DE LÉGIONNAIRES ROMAINS DES CAMPS RETRANCHÉS DE BABAORUM, AQUARIUM, LAUDANUM ET PETIBONUM...

ASTÉRIX, LE HÉROS DE CES AVENTURES. PETIT GUERRIER À L'ESPRIT MALIN, À L'INTELLIGENCE VIVE, TOUTES LES MISSIONS PÉRILLEUSES LUI SONT CONFIÉES SANS HÉSITATION. ASTÉRIX TIRE SA FORCE SURHUMAINE DE LA POTION MAGIQUE DU DRUIDE PANORAMIX...

OBÉLIX EST L'INSÉPARABLE AMI D'ASTÉRIX. LIVREUR DE MENHIRS DE SON ÉTAT, GRAND AMATEUR DE SANGLIERS ET DE BELLES BAGARRES. OBÉLIX EST PRÊT À TOUT ABANDONNER POUR SUIVRE ASTÉRIX DANS UNE NOUVELLE AVENTURE. IL EST ACCOMPAGNÉ PAR IDÉFIX, LE SEUL CHIEN ÉCOLOGISTE CONNU, QUI HURLE DE DÉSESPOIR QUAND ON ABAT UN ARBRE.

PANORAMIX, LE DRUIDE VÉNÉRABLE DU VILLAGE, CUEILLE LE GUI ET PRÉPARE DES POTIONS MAGIQUES. SA PLUS GRANDE RÉUSSITE EST LA POTION QUI DONNE UNE FORCE SURHUMAINE AU CONSOMMATEUR. MAIS PANORAMIX A D'AUTRES RECETTES EN RÉSERVE...

ASSURANCETOURIX, C'EST LE BARDE. LES OPINIONS SUR SON TALENT SONT PARTAGÉES : LUI, IL TROUVE QU'IL EST GÉNIAL, TOUS LES AUTRES PENSENT QU'IL EST INNOMMABLE. MAIS QUAND IL NE DIT RIEN, C'EST UN GAI COMPAGNON, FORT APPRÉCIÉ...

ABRARACOURCIX, ENFIN, EST LE CHEF DE LA TRIBU. MAJESTUEUX, COURAGEUX, OMBRAGEUX, LE VIEUX GUERRIER EST RESPECTÉ PAR SES HOMMES, CRAINT PAR SES ENNEMIS. ABRARACOURCIX NE CRAINT QU'UNE CHOSE : C'EST QUE LE CIEL LUI TOMBE SUR LA TÊTE, MAIS COMME IL LE DIT LUI-MÊME : "C'EST PAS DEMAIN LA VEILLE !"

UN DEMI-SIÈCLE ! CELA PEUT PARAÎTRE BEAUCOUP POUR LE COMMUN DES MORTELS. OR SEULS LES HÉROS QUI NOUS ENTOURENT, QU'ILS SOIENT DE CINÉMA, DE THÉÂTRE OU DE LITTÉRATURE, MÊME QUAND ILS SONT DE BANDES DESSINÉES, CE QUI NOUS CONCERNE AUJOURD'HUI, ONT CETTE CHANCE ET CETTE GRANDE FAVEUR DE SUPPORTER LE TEMPS QUI PASSE SANS UNE RIDE ET SANS VERGOGNE EN TROUVANT CE PHÉNOMÈNE TOUT À FAIT NORMAL. IL EST ÉVIDENT CEPENDANT QU'ILS DOIVENT CETTE LONGÉVITÉ SANS FAILLE AU PUBLIC, SEUL JUGE DE LA VIE OU DE LA MORT DES HÉROS, ET GARE À EUX S'ILS N'ONT PAS SES FAVEURS. MAINTENANT SUPPOSONS QU'EXCEPTIONNELLEMENT ASTÉRIX ET TOUS CEUX QUI L'ENTOURENT AIENT SUBI LE POIDS DES ANS COMME TOUT UN CHACUN. JE DIS BIEN SUPPOSONS QU'ILS AIENT TOUS VIEILLI DE 50 ANNÉES COMME L'AUTEUR DE CES LIGNES. SI VOUS LE VOULEZ BIEN, VOYONS QUEL SERAIT LEUR ÉTAT PHYSIQUE ET MORAL ET PÉNÉTRONS DANS LE VILLAGE QUI EST CENSÉ RÉSISTER ENCORE ET TOUJOURS À L'ENVAHISSEUR ROMAIN.

EN L'AN 1 DE NOTRE ÈRE, FORCE EST DE CONSTATER QUE LA PALISSADE QUI CERNE LE VILLAGE A MAL RÉSISTÉ AUX OUTRAGES DU TEMPS...

CEPENDANT...

CETAUTOMATIX & FILS

MAIS DIS-MOI, GARFON, QU'EST-FE QUE TU FABRIQUES AVEC F'T'ENVIN ?

T'OCCUPE, P'PA ! J'AI INVENTÉ...

... DES DENTS DE FER POUR CEUX QUI COMME TOI N'EN ONT PLUS BEAUCOUP !

QUOI?

POUR CALMER TON PÈRE QUI A DE NOUVEAU UNE CRISE DE GOUTTE VA LE PROMENER, MON FILS !

DAC!, M'MAN !

ÇA A ENCORE MARCHÉ, FISTON ! VITE À L'ALAMBIX ! RETROUVONS MES VIEUX COMPAGNONS !!!

AH ! C'EST VRAI ! J'OUBLIAIS... ET TON COMMERCE ! ÇA VA ?

BOF ! ÇA POURRAIT ALLER MIEUX !

IL EST FRAIS MON POISSON, IL EST FRAIS !

PLUTÔT QUE DE FAIRE VENIR DU POISSON DIRECTEMENT DE MASSILIA PAR CHAR À BŒUFS, MON GARÇON PRÉFÈRE ALLER LE PÊCHER LUI-MÊME ! C'EST AINSI QU'ON DÉTRUIT UNE IMAGE DE MARQUE !!!

ORDRALFABÉTIX & FILS

POISSON FRAIS

ET ASTÉRIX ? TU AS DES NOUVELLES ?

OH ! LUI, IL VIT TOUJOURS AVEC SA PETITE FAMILLE DANS SA HUTTE DE CAMPAGNE !

EN EFFET...

P'PA ! NOUS ALLONS FAIRE DES ACHATS À LA CITÉ PETIBONUM ! TU PEUX T'OCCUPER DE TES PETITS-ENFANTS ?

BIEN ENTENDU, D'AILLEURS J'AVAIS L'INTENTION DE LES MENER CHEZ LEUR GRAND-ONCLE OBÉLIX QU'ILS ADORENT !

3A

VENEZ LES ENFANTS ! TONTON OBÉLIX VA ENCORE VOUS RACONTER SES AVENTURES CONTRE LES ROMAINS !

BOF ! C'EST TOUJOURS LES MÊMES HISTOIRES QU'IL RACONTE !

OH ! OUI, PAPYOU !

CHIC ! CHIC ! CHIC !

YOUPI !

SALUT, OBÉLIX ! JE TE RAMÈNE UN PUBLIC QUI RAFFOLE DE TES AVENTURES !!

OH ! JE N'AI PLUS LE CŒUR À RACONTER QUOI QUE CE SOIT, ASTÉRIX !

MAIS ENFIN, QUE T'ARRIVE-T-IL, OBÉLIX ?

J'AI PERDU LE GOÛT DE VIVRE, ASTÉRIX !

LES ROMAINS ONT CHASSÉ LES SANGLIERS EN RASANT LES FORÊTS D'ALENTOUR AFIN DE CONSTRUIRE DES CITÉS. J'EN SUIS RÉDUIT À DES POIS CHICHES !

TU AS QUAND MÊME L'AIR D'EN TIRER PROFIT, OBÉLIX !

PEUT-ÊTRE, ASTÉRIX, MAIS JE N'AI PLUS LA FORCE DE TAILLER UN MENHIR NI MÊME DE LE PORTER ! C'EST FINI TOUT ÇA !

JE SUIS DÉSOLÉ DE TE VOIR DANS CET ÉTAT, TOI MON VIEUX COMPAGNON !

3B

AH ! ÇA ! QUE ME VALENT CES MINES DÉCONFITES ?

Ô PANORAMIX, NOTRE DRUIDE ! OBÉLIX A RAISON ! LA VIE A PERDU DE SON CHARME AVEC LE TEMPS QUI PASSE !

JE SUIS LE PREMIER À LE RECONNAÎTRE OR JUSTEMENT, LE RESPONSABLE DE CETT SITUATION VIENT NOUS RENDRE VISITE !

!?

BONJOUR, LES ENFANTS ! JE VIENS DE RÉUSSIR UNE EXPÉRIENCE UNIQUE DANS LES ANNALES DE LA BD !

J'AI RÉUSSI À VOUS DONNER L'ÂGE QUE VOUS SERIEZ CENSÉS AVOIR ATTEINT CINQUANTE ANS APRÈS ! C'EST DRÔLE, NON ?

ET EN PLUS IL TROUVE ÇA DRÔLE !

TCHAC !

TU EXAGÈRES, OBÉLIX ! SAIS-TU QUE TU AS MALTRAITÉ UN DE NOS CRÉATEURS ?

M'EN FICHE !

VE RECONNAIS QUE FE N'ÉTAIT PAS UNE BONNE IDÉE ! PARDON ! VE VURE DE NE PAS RECOMMENFER !

AUSSI, APRÈS QUELQUES COUPS DE CRAYON, C'EST LE RETOUR À L'AN 50 AVANT JÉSUS-CHRIST...

J'AI FAIT UN SONGE CURIEUX OÙ UN TAS DE PETITS BAMBINS M'ENTOURAIENT JOYEUSEMENT !

TU AS DE LA CHANCE ! MOI DANS MON RÊVE JE NE POUVAIS MANGER QU DES POIS CHICHES ! UN VRAI CAUCHEMAR !

PENDANT CE TEMPS AU VILLAGE...

PAR TOUTATIS ! POURQUOI TOUS CES GENS ?

JE CROIS SAVOIR QU'ABRARACOURCIX LES A INVITÉS POUR PARTICIPER À UN GRAND ÉVÉNEMENT !

?

AUJOURD'HUI EST UN GRAND JOUR, ALORS NE FAITES PAS LES IMBÉCILES, VOUS AUTRES !

HUMF !

JE CRAINS ET JE SENS L'INTERMINABLE DISCOURS...

MES AMIS ! PERMETTEZ-MOI D'ÊTRE SENSIBLE AU FAIT QUE VOUS AYEZ TOUS RÉPONDU À MON INVITATION ! CERTAINS SONT VENUS DE TRÈS LOIN AFIN DE PARTICIPER AU GRAND ÉVÉNEMENT QUE NOUS ALLONS CRÉER ET CHACUN ET CHACUNE APPORTERA SON TÉMOIGNAGE DE SYMPATHIE AUX DEUX HÉROS QUI FÊTENT AUJOURD'HUI LEUR ANNIVERSAIRE ET QUI IGNORENT VOTRE PRÉSENCE CAR ILS FONT ACTUELLEMENT PROVISION DE SANGLIERS ! JE VEUX PARLER BIEN SÛR DE...

QU'EST-CE QUE J'DISAIS !

...ASTÉRIX ET OBÉLIX ! ON LES APPLAUDIT !!

CLAP CLAP CLAP ! CLAP !

CLAP ! CLAP ! CLAP ! CLAP ! CLAP ! CLAP ! CLAP !

BONG !

C'EST DIT ! JE DÉMISSIONNE !

Ô ABRARACOURCIX, NOTRE CHEF ! POUR HONORER NOS HÉROS, J'AI L'IDÉE DE LEUR CONCEVOIR DES VÊTEMENTS PLUS CONFORMES À LEUR SITUATION !...

CROÂC !

M'EN FICHE !

9

OBÉLIX A UNE GRANDE ÉLÉGANCE NATURELLE, QUE SA GARDE-ROBE NE MET PAS TOUJOURS EN VALEUR...

AVOUEZ QU'ON A CONNU PLUS CHIC !

JE VAIS DONC CRÉER POUR LUI UNE COLLECTION QUI LE PLACERA À L'AVANT-GARDE DE LA MODE LUTÉCIENNE.

BAGARRE ET DISTINCTION NE SONT PAS INCOMPATIBLES : BRACELETS DE FORCE, MOUSTACHE EN QUART DE LUNE ET COIFFE DITE DU POINT-VIRGULE NE MANQUERONT PAS D'IMPRESSIONNER !

QUI Z'Y VIENNENT !

ZZZZZ !

OBÉLIX I

OBÉLIX SEMBLE NÉ POUR LE PORT DE LA CAPE : ATTACHÉE SUR L'ÉPAULE DROITE, ELLE LUI SIED À MERVEILLE.

QUAND ON EST IMPORTANT DANS LE MENHIR, IL FAUT ÊTRE BIEN HABILLÉ.

?

OBÉLIX II

CETTE TUNIQUE BOUFFANTE SOULIGNE GRACIEUSEMENT LA SILHOUETTE D'OBÉLIX, AUX RONDEURS CHARMANTES ET ACCORTES.

JE NE SUIS PAS GROS !

OBÉLIX V

TUNIQUE OUVERTE EN POINTE JUSQU'À LA CEINTURE, AVEC UNE JUPE À TUYAUX, LA SAIE SEMBLE INVENTÉE POUR OBÉLIX !

QUI C'EST ?

OBÉLIX VII

LE SOIN PORTÉ AUX ACCESSOIRES FAIT LA DIFFÉRENCE : LA FRAISE EXTRA-LARGE SOULIGNE UN VISAGE ÉPANOUI, TANDIS QUE LE MOUCHOIR EST BRANDI AVEC GRÂCE.

FARPAITEMENT.

!?

OBÉLIX IX

CHAPEAU BAS ! EN FEUTRE, EMPANACHÉ ET GARNI D'UNE PLUME DE FAISAN, CE CHAPEAU DONNE À OBÉLIX UNE GRANDE PRESTANCE ET INVITE À LA RÉVÉRENCE.

CLAP ! CLAP ! CLAP ! CLAP ! CLAP ! CLAP ! CLAP ! CLAP ! CLAP ! CLAP ! CLAP ! CLAP !

OBÉLIX X

COIFFÉS D'UN POSTICHE BLANC POUDRÉ, SES CHEVEUX FORMENT DES ROULEAUX AU-DESSUS DES OREILLES ET SONT NOUÉS EN QUEUE À L'ARRIÈRE : OBÉLIX RÉINVENTE LES TRESSES À LA GAULOISE !

CHIC ! CHIC ! CHIC !

PFFFF !

OBÉLIX XII

REDINGOTE, CHAPEAU CLAC HAUT DE FORME ET CANNE À POMMEAU CISELÉ : JOLITORAX NE RENIERAIT PAS CET OBÉLIX AU STYLE BRETON.

MON TAILLEUR EST RICHE.

OBÉLIX XIII

GANTS DE CUIR ASSURANT UNE CONDUITE DE CHAR AISÉE, SABLIER DE POCHE À GOUSSET... OBÉLIX ASSUME AVEC CLASSE L'ABANDON DES RAYURES POUR DES CARREAUX DU MEILLEUR EFFET !

INCROYABLES, MES BRAIES !

OBÉLIX XV

PFFFF !

À CONTEMPLER OBÉLIX DANS CE COMPLET SOBRE MAIS ÉLÉGANT, ON SE DIT QU'IL POURRAIT BIEN LANCER LA MODE DU BÉRET CHEZ LES GAULOIS !

IMPOSSIBLE N'EST PAS GAULOIS !

OBÉLIX XVII

PFFFF !

7A

OBÉLIX EST UN ARTISTE : DES VÊTEMENTS AMPLES ET PROTECTEURS, NE CRAIGNANT PAS LES SALISSURES, LUI PERMETTRONT DE S'EXPRIMER SANS ENTRAVES. DE QUOI RÉVOLUTIONNER L'ART DE NOTRE TEMPS !

DÉLIX

PELIRANT EST ROMANI

OBÉLIX XX

7B

* ILS SONT FOUS, CES ROMAINS !

ET POUR ASTÉRIX, J'ENVISAGE UNE TENUE EXOTIQUE. ELLE ME FAIT PENSER À QUELQUE CHOSE, MAIS JE NE SAIS PAS QUOI...

HOUBA ?

ASTÉRIX XXVII

EN HOMMAGE À ANDRÉ FRANQUIN

11

VOILÀ POUR LA MODE. ET QUE DIT NOTRE COURRIER ? Y A-T-IL DES MESSAGES POUR NOS AMIS ?

DE QUOI REMPLIR UN LIVRE D'OR ! J'AI MÊME REMIS DÈS HIER À OBÉLIX UNE MISSIVE QUI NE L'A PAS LAISSÉ DE MARBRE !

EN EFFET, LA VEILLE...

SALUT, PNEUMATIX ! BIEN SÛR, TOUJOURS PAS DE COURRIER POUR MOI !

EH BIEN SI JUSTEMENT OBÉLIX ! J'EN AI UN QUI T'EST SPÉCIALEMENT ADRESSÉ !

UN COURRIER ? UN COURRIER RIEN QUE POUR MOI TOUT SEUL ?

RIEN QUE POUR TOI ! IL ARRIVE TOUT DROIT DE CONDATE* !

DE CONDATE ?

ET EN MARBRE ROSE GRAVÉ PAR UNE JOLIE GAULOISE QUE TU CONNAIS BIEN, VIEUX COQUIN !

MES DIEUX !!!... FALBALA !!... C'EST FALBALA QUI M'ÉCRIT !!

ADIEU ET BONNE LECTURE JOLI CŒUR !

PFFF !

*RENNES

HEP ! OBÉLIX ! TU VAS CHASSER LE SANGLIER ?

HEU !... NON ! PAS AUJOURD'HUI !... JE...

?!

?!

... JE NE ME SENS PAS TRÈS EN FORME, ASTÉRIX ! JE CROIS QUE JE VAIS ME COUCHER !

VA PLUTÔT VOIR NOTRE DRUIDE ! LUI SAURA TE SOIGNER, OBÉLIX !

TU AS RAISON, ASTÉRIX ! J'Y COURS !

CURIEUX ! C'EST BIEN LA PREMIÈRE FOIS QUE JE VOIS OBÉLIX SOUFFRANT !

PANORAMIX ! JE VOUDRAIS QUE TU ME RENDES UN GRAND SERVICE !!!

!?

EUH... EH BIEN VOILÀ... JE VOUDRAIS QUE TU M'APPRENNES À LIRE, PANORAMIX !...

AH ! BEN ÇA ALORS ! TU TE DÉCIDES ENFIN, GARNEMENT !

TU AURAIS PU APPRENDRE À LIRE DEPUIS LONGTEMPS SI TU N'AVAIS PAS PRÉFÉRÉ ALLER CHASSER LE MARCASSIN, OBÉLIX !

ET C'EST À CAUSE DE GARÇONS COMME TOI QUE LES GÉNÉRATIONS FUTURES DIRONT QUE LES GAULOIS NE SAVAIENT NI LIRE NI ÉCRIRE !!!

VOICI UNE VIEILLE MÉTHODE DE MA CONCEPTION QUI TE PERMETTRA TRÈS VITE DE CONNAÎTRE L'ALPHABET, OBÉLIX !

REGARDE, C'EST FACILE ! A COMME ÂNE...

...MAINTENANT B COMME BICHE...

C COMME CANARD, D COMME DOLMEN, ETC. TOUTES LES LETTRES DE L'ALPHABET SONT LÀ AVEC UN REPÈRE POUR CHACUNE D'ELLES. TU AS COMPRIS, OBÉLIX ?

JE NE SAVAIS PAS QUE C'ÉTAIT AUSSI FACILE.

PRENDS SOIN DE MA MÉTHODE ! J'Y TIENS !

SOIS SANS CRAINTE ET MERCI, PANORAMIX !

TU TE RENDS COMPTE, IDÉFIX, GRÂCE À LA MÉTHODE DE PANORAMIX, JE VAIS POUVOIR LIRE LE COURRIER DE FALBALA !!

LA NUIT EST TOMBÉE. SEULE UNE LUMIÈRE JOUE AVEC LA LUNE DANS LE VILLAGE GAULOIS ENDORMI.

JE REPRENDS : C COMME CANARD, H COMME HÉRISSON, E COMME ESCARGOT, R COMME RAT, O COMME...

13

ET AU PETIT MATIN...

ALLONS VOIR SI LA MÉDECINE DU DRUIDE A ÉTÉ EFFICACE SUR CE PAUVRE OBÉLIX !

EH BIEN, TU N'AS PAS L'AIR D'AVOIR RETROUVÉ LA FORME, OBÉLIX !?

OOOH ! ASTÉRIX, SI TU SAVAIS COMME JE SUIS MALHEUREUX.

RON RON RON !

ENFIN QU'EST-CE QUI NE VA PAS, OBÉLIX ? CONFIE-TOI À MOI, JE SUIS TON AMI !

J'AI UN GRAND PROBLÈME QUE JE N'ARRIVE PAS À RÉSOUDRE !

J'AI REÇU CETTE PLAQUETTE GRAVÉE DE FALBALA ! ALORS J'AI DEMANDÉ À PANORAMIX DE BIEN VOULOIR M'APPRENDRE À LIRE...

JE COMMENCE À COMPRENDRE !

IL M'A ALORS DONNÉ CETTE MÉTHODE ET J'AI PASSÉ MA NUIT ENTIÈRE POUR SAVOIR CE QUE M'ÉCRIT FALBALA... ET JE N'AI RIEN COMPRIS !!!

J'AI RETENU TOUT CE QUI EST CENSÉ ÊTRE GRAVÉ SUR CE MARBRE, TU POURRAS JUGER PAR TOI-MÊME : "BICHE, OISEAU, NID, ÂNE, NID, NID, IBIS, VACHE, ESCARGOT, RAT, SANGLIER, ÂNE, IBIS, RAT, ESCARGOT, CANARD, HÉRISSON, ESCARGOT, RAT, OISEAU, BICHE, ESCARGOT, LION, IBIS, LÀ JE N'AI PAS COMPRIS... FURET, ÂNE, LION, BICHE, ÂNE, LION, ÂNE."

?

HEU... JE PEUX Y JETER UN COUP D'ŒIL ?

BOF ! SI TU VEUX !

MAIS C'EST TOUT SIMPLE ! IL EST GRAVÉ : "BON ANNIVERSAIRE CHER OBÉLIX" ET C'EST SIGNÉ "FALBALA".

?!

ELLE AURAIT PU FÊTER LE MIEN AUSSI CAR NOUS SOMMES NÉS LE MÊME JOUR...

MAIS OÙ VAS-TU, OBÉ... ??

NON ! PAS ÇA, OBÉLIX !

SPLATCH!

14

TANT D'HONNEURS POUR ASTÉRIX ET OBÉLIX... ON EN FAIT TROP ! CES GAMINS N'ONT RIEN DE HÉROS.

OBÉLIX EST UN GUERRIER VENTRU ET INDOLENT... IL NE PENSE QU'À BÂFRER DES SANGLIERS !

ET ASTÉRIX ! PETIT, MALINGRE... FRANCHEMENT, À GERGOVIE, NOS GUERRIERS AVAIENT UNE AUTRE ALLURE !

AGECANONICHOU, TU EXAGÈRES...

PAS DU TOUT ! ET ENCORE, TU NE LES AS PAS VUS LEURS DÉBUTS. ILS REVIENNENT DE LOIN !

ASTÉRIX A BIEN CHANGÉ. JEUNE, IL NE RESSEMBLAIT À RIEN, CROIS-MOI.

ET PUIS, C'EST UN INTELLECTUEL. IL SE POSE TROP DE QUESTIONS.

J'AI BEAU ME CREUSER LA TÊTE... RIEN DE RIEN !

DU COUP, IL DÉPRIME À LA MOINDRE EMBÛCHE...

QUAND JE REGARDE DANS LE FOND DE MOI-MÊME...

...JE NE VOIS QUE LE VIDE QUI VIDOIE ET QU'UNE VIE SANS JOIE.

ET S'EFFONDRE SOUS LE POIDS DE SES RESPONSABILITÉS !

HÉROS OU ZÉRO, TELLE EST LA QUESTION. APRÈS TOUT, QUE SUIS-JE SANS LA POTION ?

ET OBÉLIX N'A PAS MA VITALITÉ. SI TU LE VOYAIS AU RÉVEIL...

EN PLUS IL TOMBE MALADE AU PREMIER COUP DE VENT...

ATCHOUM !

NON, VRAIMENT, ILS SONT TRÈS ORDINAIRES. ALORS, AVEC LE DRUIDE AMNÉSIX, NOUS ALLONS REPRENDRE LES CHOSES EN MAIN.

D'ABORD, UNE ÉTUDE DU CORPS HUMAIN PAR IRM (IMAGE PAR RAYONNEMENT DE MIXTURE)...

CETTE MIXTURE EST RÉELLEMENT ÉTONNANTE MAÎTRE.

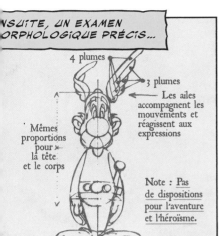

NSUITE, UN EXAMEN
ORPHOLOGIQUE PRÉCIS...

4 plumes

3 plumes

← Les ailes
accompagnent les
mouvements et
réagissent aux
expressions

Mêmes
proportions
pour
la tête
et le corps

Note : Pas
de dispositions
pour l'aventure
et l'héroïsme.

PUIS DES EXERCICES PHYSIQUES
CONTRAIGNANTS : DE LA MARCHE,
DE LA COURSE...

Note : Spécimens
impropres à une mise
en mouvement efficace.

13ᴬ

U SAUT...

E LA GYMNASTIQUE...

APRÈS QUOI, C'EST SÛR,
NOUS RETROUVERONS DES
GUERRIERS AUX PROPORTIONS
PARFAITES !

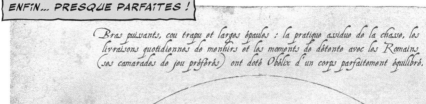

ENFIN... PRESQUE PARFAITES !

Bras puissants, cou trapu et larges épaules : la pratique assidue de la chasse, les livraisons quotidiennes de menhirs et les moments de détente avec les Romains (ses camarades de jeu préférés) ont doté Obélix d'un corps parfaitement équilibré.

Ecce homo

Si on mesure la hauteur d'Obélix depuis la plante des pieds jusqu'au sommet de la tête et si on reporte cette mesure sur la ligne définie par ses mains tendues, la largeur se trouvera être égale à la hauteur, s'inscrivant dans un carré parfait, au centre duquel se situe le nombril d'Obélix. In medio stat virtus, constatent avec admiration les plus grands druides de notre temps. On notera cependant un nez aux proportions et à l'arrondi peu en rapport avec le profil classique de la statuaire hellène mais, depuis qu'Obélix a testé l'aérodynamisme d'un collègue ayant suggéré que son ventre rebondi s'écartait quelque peu de l'idéal de la beauté grecque, personne ne s'est aventuré à le lui dire...

13ᴮ

D'après Léonard de Vinci

17

AGECANONIX, VOYONS... ASTÉRIX ET OBÉLIX NE SONT PAS DÉCRÉPITS COMME TU LE DIS !

C'EST VRAI. ILS N'ARRÊTENT PAS DE VOYAGER ET LES VOYAGES FORMENT LA JEUNESSE, NON ?

EXACTEMENT ! ET LES VOYAGES, ÇA ME CONNAÎT !

D'AILLEURS J'OFFRE À NOS AMIS UN GUIDE QUI VA BEAUCOUP LEUR PLAIRE.

?

LE GUIDE COQUELUS DES VOYAGES[1]

ÉDITION AN L AVANT J.-C.

Gaulois, vous aimez les voyages ?
Notre guide rédigé par un aventurier armoricain est fait pour vous !

Mais bien sûr, par Toutatis, que les Gaulois aiment les voyages ! Nous, ici, au Village, remarquez, nous n'avons pas loin à aller : la plage est toute proche, et dans l'arrière-pays nous avons aussi la forêt. Tous les agréments des vacances sont ainsi réunis : les plaisirs de la mer, avec ses pirates, la cueillette des champignons, la chasse au sanglier, et les parties de rigolade avec les patrouilles romaines. Sans compter que nous jouissons en Armorique d'un climat très vivifiant ; bref, c'est un peu comme si nous étions en vacances toute l'année, les Romains et nous.

LES PLAISIRS DE LA MER
LES PIRATES

L'ABORDAGE D'UN NAVIRE PIRATE N'EST PAS COMPRIS DANS LE FORFAIT DE LA TRAVERSÉE. IL FAUT PAYER UN SUPPLÉMENT.

?

?

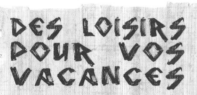

DES LOISIRS POUR VOS VACANCES

UN MOMENT DE DÉTENTE SUR UNE PLAGE D'ARMORIQUE

Un climat vivifiant, un temps au beau fixe...
Et des maîtres nageurs aux aguets !

DES PARTIES DE RIGOLADE ENTRE AMIS

OBÉLIX !?

LES JOLIES COLONIES DE VACANCES

ILS SONT PEUT-ÊTRE FOUS, CES ROMAINS, MAIS JE NE ME VOIS PLUS PARTIR SANS EUX !

Ne partez plus sans ceux que vous aimez. Bénéficiez de nos tarifs de groupe dégressifs.

COMMENT UN SUPPLÉMENT ?!

L'ABORDAGE EST FACULTATIF, NOTEZ BIEN...

INSCRIVEZ-VOUS AUPRÈS DU COMMISSAIRE DE BORD. DEUX SESTERCES.

Pour éviter les déconvenues, suivez les conseils du Guide Coquelus pour réserver vos vacances.

Cases extraites de l'album *Astérix aux Jeux olympiques*

1 - Lucius Coquelus est un grand fabricant de roues (voir *Le Bouclier arverne*). Il a créé ce guide notamment célèbre pour sa liste des meilleures auberges gauloises.

Nos compatriotes moins favorisés, c'est-à-dire tous les autres, pensent au départ en vacances dès le mois de Januarius[1]. Il faut dire que si l'on veut trouver de la place en Quintilis[2], ou en Sextilis[3], il faut s'y prendre à l'avance. Dès le mois d'Aprilis[4], on ne trouve plus une seule villa à louer tout le long des côtes ; et le seul sujet de conversation, c'est le temps qu'il fera en été. («Y a plus de saisons ! Avec toutes leurs machines de guerre, les Romains vont finir par nous faire tomber le ciel sur la tête ! »)

Certains déplorent cette attitude et disent : « Pauvre Gaule ! Dans le bon vieux temps, on pensait au travail, et rien qu'au travail ! » Mais ces gens raisonnables ne sont pas les derniers à se lancer sur les voies, vers les provinces méridionales. Car ce sont les rives de la Mer Intérieure qui attirent le plus de monde : Nicae, Antipolis, Forum Julii, Citharista, Olbia, Heraclea Caccabaria, Carsicis[5], et Athénopolis[6], se remplissent tout l'été d'une foule grouillante, avide de plaisir. (Particulièrement Athénopolis, où se mélangent gens du monde antique, le Tout-Lutèce, et les beatnix, ces étranges barbares qui ne tressent ni ne lavent leurs longs cheveux. Certains disent qu'ils sont comme ça parce qu'ils ont reçu un coup sur le carsicis.)

1 - Janvier
2 - Que l'on appellera bientôt Julius, en l'honneur de César, puis plus tard juillet
3 - Qui sera nommé Augustus, puis août
4 - Avril
5 - Respectivement : Nice, Antibes, Fréjus, La Ciotat, Hyères, Cavalaire, Cassis
6 - Petit comptoir massaliote proche de l'actuel Saint-Tropez

SAVOIR S'ORGANISER

La confection des bagages. Veillez à n'emporter que l'essentiel.

Pour éviter de broyer du noir dans une auberge douteuse, un conseil : réservez !

Pour tous vos déplacements, optez pour un char à immatriculation gauloise.

Case centrale extraite de l'album *Le Bouclier arverne*

UN DÉPART RÉUSSI

C'est le moment de quitter ses amis le temps d'un long voyage. Âmes sensibles s'abstenir !

Case extraite de l'album *Le Tour de Gaule d'Astérix*

LES PLAISIRS DE LA MER INTÉRIEURE

Un peu de détente sur la plage de Nicae : rien de tel pour se faire de nouveaux amis !

Cases 1 et 3 extraites de l'album *Le Tour de Gaule d'Astérix*

L'ennui, bien sûr, c'est que tout le monde partant en même temps et dans la même direction, les routes sont encombrées et les accidents sont, hélas, nombreux. Cela est dû, aussi, à l'imprudence des conducteurs, qui veulent à tout prix, même au risque de leur vie, respecter une moyenne élevée. Vous entendez des fous qui vous disent : « Oui, mon vieux ! Lutèce-Nicae en trois semaines ! D'une seule traite ! » comme si une ou deux semaines de plus ou de moins avaient une quelconque importance dans la vie d'un homme !

Les patrouilles essaient bien de faire respecter la Paix Romaine sur les routes ; les lois deviennent sévères, il est même question de jeter aux lions les conducteurs les plus imprudents. Mais rien n'y fait, et les CRS (Compagnies Romaines de Sécurité) ont fort à faire pour imposer un semblant de discipline.

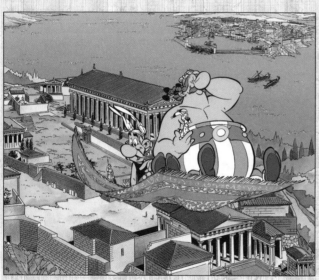

Prenez de la hauteur pour éviter la foule des vacanciers.
Voyagez en tapis volant !

COMMENT ÉCHAPPER AUX ROUTES ENCOMBRÉES ?

LA COHUE DES VACANCES ET SES RALENTISSEMENTS NE SONT PAS UNE FATALITÉ. NOS CONSEILS POUR DES DÉPLACEMENTS SANS SOUCIS.

Pour échapper aux amphorisages,
choisissez Obélix !

Goûtez au calme des océans en vous déplaçant en canoë.
De belles rencontres en perspective.

Grâce aux voyages au-delà des nuages,
guérissez-vous à jamais de la peur que
le ciel vous tombe sur la tête.

Il faut dire, à la décharge des usagers, que le réseau routier est très antique dans sa conception. Les autorités romaines ont construit des voies dallées, mais qui sont insuffisantes pour le trafic actuel. De nombreux chars à bœufs de transport encombrent ces voies, et il est toujours dangereux de les doubler. Et je ne pense pas que c'est en imposant à tous une vitesse limite de III milles[1] à l'heure, que l'on va arranger les choses. Et ce n'est pas non plus une solution d'envoyer les conducteurs au Cirque, bien que les lions semblent assez favorables à cette mesure. Il faut élargir les voies, éviter la traversée des villes et des villages ! Tous ceux qui ont traversé Lugdunum en été me comprendront.

Faute de quoi, les gens continueront à prendre des risques et à s'énerver sur les routes, en se lançant des injures : « Je vais en faire du singe, de tes bœufs ! », « Va donc, eh, rapa[2] ! », « Tu crois que je vais faire longtemps le porrum[3] derrière ton char, dis ? Gare-toi ! », « Je travaille, moi ! J'suis esclave, moi ! J'suis pas là pour rigoler, moi ! », « T'es esclave ? Eh ben si j'étais ton maître, je t'échangerais contre un âne, ça travaille mieux, c'est plus joli, et c'est plus intelligent ! », « Tu sais ce qu'il te dit, l'âne ? »…

Il n'est pas rare de voir dégénérer en bataille rangée ce qui aurait dû être une agréable randonnée. Tout cela a pour résultat de provoquer des bouchons qui paralysent la circulation pendant des milles et des milles.

DES VOIES ROMAINES GARANTIES C POUR C CONFORT MODERNE

Restovoies, charotels et stations-service : de nombreux efforts ont été faits pour garantir des voyages en char sereins et confortables !

Cases extraites des albums Le Tour de Gaule d'Astérix *et* Astérix chez les Helvètes

1 - Environ 4,5 km   2 - Rave que l'on mangeait en guise de patates   3 - Poireau

21

Et puis, il y a une chose que les Gaulois ne voudront jamais comprendre : c'est qu'il ne faut pas manger trop lourdement à midi quand on a encore de la route à faire. Mais nous sommes des goinfres : nous nous gavons de sanglier, et nous ne résistons pas à cette corne supplémentaire de vin d'Aquitaine ! Nous oublions que l'amphore peut tuer aussi sûrement que le pilum du guerrier ennemi, malgré les slogans gravés sur marbre qui sont placés sur les bas-côtés de la route, pour nous rappeler à la prudence :
« Boire un petit coup ? Allez-y !
Boire deux petits coups ? Alésia ! »

Presque tout le monde a son char, de nos jours, mais combien savent réellement conduire ? Combien savent, par exemple, quelle est la distance nécessaire pour arrêter un cheval au galop ?... XX pas ! Une paire de bœufs lancés à toute vitesse ne réussiront à s'immobiliser qu'au bout de XXX pas ! Pour ceux qui voyagent en litière, il faut X pas pour arrêter un esclave porteur en pleine course.

D'ailleurs, en char romain, en char à bœufs ou en litière, la conduite sportive doit être réservée aux auriges professionnels. Permettez-moi de vous donner ces quelques conseils : vous n'êtes pas Ben Hur : dérapages contrôlés, virages au mors, tout cela n'est pas pour vous. Vous avez un bel attelage, et vous êtes fier de la puissance qui se trouve sous le joug, mais ne l'utilisez que pour vous tirer d'affaire en cas de danger.

Un autre inconvénient de nos routes, c'est que l'on trouve trop peu de stations-service ouvertes la nuit. Si vous tombez en panne après le coucher du soleil, vous pouvez toujours chercher un vétérinaire ! « Moi, j'suis là pour servir le foin, vous dira-t-on, pas pour soigner les bêtes ! » Ajoutez à cela qu'il est assez difficile de trouver des pièces de rechange : si un des bœufs de votre attelage doit être remplacé, on vous dira qu'il faut faire venir la pièce du Charolais, et vous risquez de passer toutes vos vacances à attendre votre bœuf. Parce qu'un bœuf en rodage, ça n'avance pas vite !

Pour les auriges connaisseurs, une visite de la fabrique de chars Ferrarus est toujours un grand moment.

Pour un accueil chaleureux en tous lieux, ne vous déplacez pas sans votre barde de voyage.

1 - Aujourd'hui Modène

Il y a aussi les auberges du bord de la route. Il faut éviter de s'arrêter au hasard, car on risque d'avoir des surprises au moment de l'addition, et il y a des coups de catapulte qui sont redoutables pour le porte-monnaie ! Bien sûr, si vous aimez les plats compliqués, vous trouvez des auberges de luxe, indiquées par des serpes d'or sur les guides spécialisés : vous pouvez y manger des pâtés de cuisses de fourmis, des langues de rossignol fourrées, des têtes de truite au sucre. Mais, si vous cherchez une nourriture plus simple, arrêtez-vous à l'un de ces relais devant lesquels stationnent les chars de transport. Dans une atmosphère sympathique, vous apprécierez le bon sanglier rôti, l'excellente cervoise bien fraîche, et l'hydromel préparé comme à la maison.

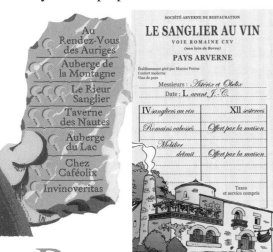

Pour trouver où loger, à l'étape, il est prudent de réserver à l'avance ; sinon, on risque de dormir dans son char. Beaucoup préfèrent camper, mais alors il faut suivre l'exemple des Romains, et ne jamais oublier de creuser un fossé et d'élever une palissade autour de la tente, cela évitera d'être attaqué par les barbares, ce qui est parfois désagréable, et trouble le sommeil.

Enfin, il ne me reste qu'à ajouter que seuls les Gaulois prudents font de bons voyages, mais à tous je souhaite de bonnes vacances !

Texte de René Goscinny paru dans *Pilote*, n° 347, 16 juin 1966.

IDÉES VACANCES

SPLENDEURS DE L'ÉGYPTE

L'Égypte et sa reine des reines.

Pour les Gaulois, que de bons souvenirs. Pour Cléopâtre, on en est un peu moins sûrs...

Aventuriers dans l'âme, le séjour en plein désert est pour vous plaire. Une rencontre inattendue avec vos aspirations profondes !

Pour impressionner vos amis, faites réaliser sur place des portraits souvenirs devant les monuments historiques.

La Bretagne, ses bardes indémodables et sa chaude eau légendaire. Ils sont fous, ces Bretons !

LES VOYAGES À LA CARTE

Accessoires à emporter, souvenirs de pays lointains :
les indispensables des voyages aux temps antiques.

I.
Ticket de R.E.R.
Titre de transport de la compagnie des chars
en commun lutéciens.

II.
Service de crânes à la mode normande.
Idéal pour égayer les soirées entre amis !

III.
Cartes postales.
Pour garder le contact avec vos proches.

IV.
Gobelet.
Souvenir de la plus prodigieuse cité de l'univers.

V.
Guide de voyage.
Pour être sûr de ne rien manquer !

VI.
Gourde G.P.S.
Ne perdez plus le nord ! La Gourde de Potion Septentrionale
pallie à tout moment l'absence de sens de l'orientation.
Une création exclusive des mages vikings.

VII.
Galère naufragée.
Vous êtes sportif ? Prévoyez un abordage de navire pirate
(en option).

VIII.
Quelques sesterces.
Pour les collectionneurs, gardez des pièces de chaque province ;
les talents d'Égypte sont les plus recherchés !

IX.
Impliable du Club Mer Intérieure.
De nombreuses activités de loisir dans un cadre idyllique.

X.
Boule de neige Pyramide.
La Grande Pyramide sous la neige, vous en rêviez,
les Égyptiens l'ont fait !

XI.
Passeport.
Délivré par les autorités de l'Empire, il est indispensable
pour circuler librement dans tous les pays soumis
à la Paix Romaine.

27

TOUT CELA EST BIEN BEAU...

MAIS CES DEUX-LÀ N'OSERONT JAMAIS SE LANCER...

TRÈS FRANCHEMENT, JE NE VOIS PAS CE QU'ELLE LUI TROUVE DE PLUS QU'À NOUS ?!

PFFF !

BAH !!!

EN HOMMAGE À DANY

NI MÊME CHOISIR L'HEUREUSE ÉLUE !

VOTEZ ICI !

NON ! VOTEZ LÀ !

NE DÉSESPÉRONS PAS ! ASTÉRIX FERA UN GRAND ET BEAU MARIAGE, COMME DANS LES CONTES DE FÉES !

Agecanonix remporte le marathon de Lutèce !

Page XXVII

Édition de Lutèce

Culture

La tournée d'adieux d'Assurancetourix

Le barde d'Armorique renouvelle le genre : à chaque concert, ce sont les spectateurs qui font leurs adieux ! À lire en page VIII.

III sesterces

le Lutécien

N° XXXIV

spqr.lelutecien.gl

L avant J.-C.

Astérix se marie !

Développement durable

Le sanglier classé espèce protégée

Premières réactions de consommateurs indignés : « Bhouhouhou ! Sniff ! »...

Violences urbaines

Pourtant rodée à la formation de combat dite de la tortue, une légion complète de Romains surentraînés a été sauvagement agressée par une force supérieure en nombre formée de... deux unités !

Notre enquête en page XVI.

Aux délices d'Aléria

Promotions exceptionnelles Moins d' I sesterce le kilo jusqu'à la prochaine lune !

Le meilleur des fromages corses

Élu saveur de l'an L avant J.-C. Un parfum léger et subtil pour égayer les repas de famille !

XXIX-X-MCMLIX

XXIX X-M

Jalousie d'une proche

« Il m'a tapé dans l'œil la première ! »

Révélations en page V

CARNET MONDAIN — C'est l'euphorie au seul village gaulois qui résiste encore et toujours à l'envahisseur romain : Astérix, le plus irréductible des célibataires a convolé en justes noces ! Jules César, pourtant invité, a préféré rester à Rome pour donner l'*Honesta Missio* à quelques vétérans de la légion... Tous les détails en pages II à VI.

29

D'après Léonard de Vinci

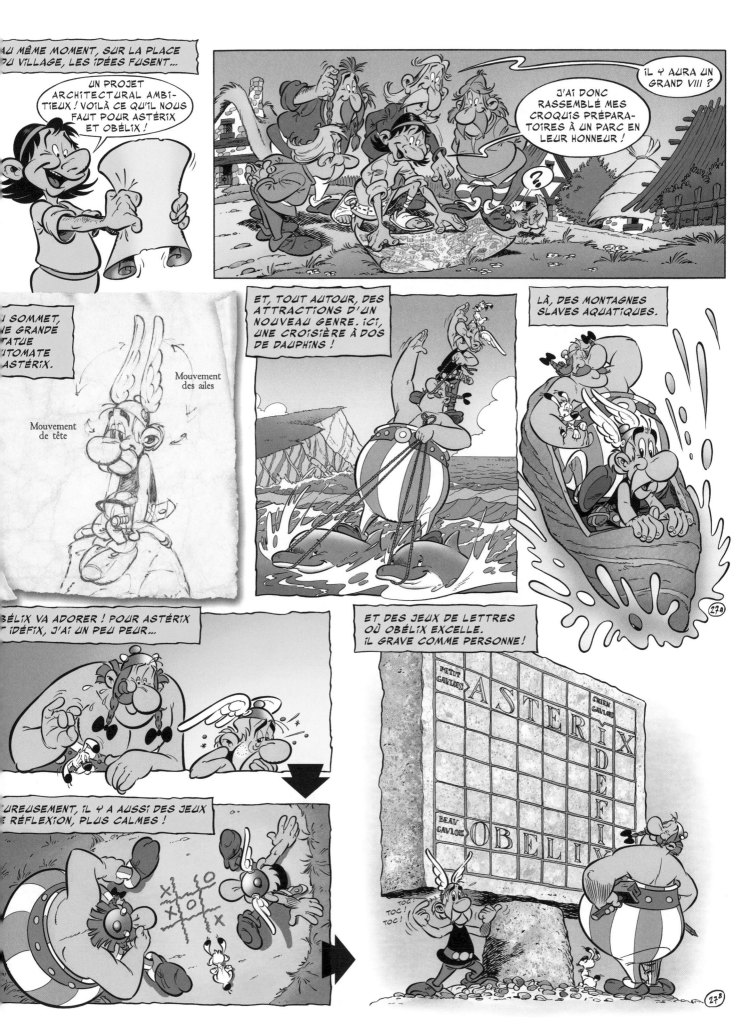

AU MÊME MOMENT, SUR LA PLACE DU VILLAGE, LES IDÉES FUSENT...

UN PROJET ARCHITECTURAL AMBITIEUX ! VOILÀ CE QU'IL NOUS FAUT POUR ASTÉRIX ET OBÉLIX !

J'AI DONC RASSEMBLÉ MES CROQUIS PRÉPARATOIRES À UN PARC EN LEUR HONNEUR !

IL Y AURA UN GRAND VIII ?

AU SOMMET, UNE GRANDE STATUE AUTOMATE D'ASTÉRIX.

Mouvement des ailes

Mouvement de tête

ET, TOUT AUTOUR, DES ATTRACTIONS D'UN NOUVEAU GENRE. ICI, UNE CROISIÈRE À DOS DE DAUPHINS !

LÀ, DES MONTAGNES SLAVES AQUATIQUES.

27a

OBÉLIX VA ADORER ! POUR ASTÉRIX ET IDÉFIX, J'AI UN PEU PEUR...

ET DES JEUX DE LETTRES OÙ OBÉLIX EXCELLE. IL GRAVE COMME PERSONNE !

HEUREUSEMENT, IL Y A AUSSI DES JEUX DE RÉFLEXION, PLUS CALMES !

PETIT GAULOIS

CHIEN GAULOIS

BEAU GAULOIS

ASTERIX

OBELIX

TOC ! TOC ! TOC !

27b

31

RIEN NE VAUT LES SENSATIONS FORTES : LE "SAUDEPUS", TRÈS PRATIQUÉ À ROME, A ÉTÉ ADOPTÉ PAR LES GAULOIS !

BOOOiiiiiiiiiNNNGG...

QUANT À MES MIROIRS DÉFORMANTS, C'EST UNE INVENTION QUI LAISSERA ASTÉRIX ET OBÉLIX PANTOIS...

LE SPORT N'EST PAS OUBLIÉ, AVEC L'APPRENTISSAGE DE LA GLISSE SUR NEIGE...

LEÇON I
FAIRE PREUVE DE CONCENTRATION

LEÇON II
NE PAS SE PRENDRE AU SÉRIEUX

LEÇON III
S'ARRÊTER AU STOP

PISTE NOIRE

LEÇON IV
FLÉCHIR LES GENOUX

ET UN JEU VRAIMENT TORDANT, METTANT LA SOUPLESSE D'OBÉLIX À L'ÉPREUVE !

ENFIN, LA PELOTE ROMAINE, UN LOISIR TRÈS PRISÉ DES IRRÉDUCTIBLES GAULOIS !

ANGLAIGUS, TON PARC M'INSPIRE LA CRÉATION DE NOUVELLES POTIONS ÉTONNANTES, FIEU !

JE CROIS QU'IL Y A LÀ MATIÈRE À BEAUCOUP SURPRENDRE NOS INSÉPARABLES AMIS !

TOUT D'ABORD, LA POTION QUI CHANG LES IDÉES... JUSQU'À EN PERDRE LA TÊTE ! FOUS RIRES GARANTIS !

HO!HO!HO! HA!HA! HI!HI!HI! HA!HA!

ET DITES ADIEU À LA DÉPRIME AVEC CETTE POTION QUI CHASSE LES IDÉES NOIRES. RADICAL !

LA POTION QUI PRÉSERVE DU POIDS DES ANS : UNE GOUTTE SUFFIT POUR RESTER À LA FLEUR DE L'ÂGE.

ATTENTION, OBÉLIX ! CETTE ANNÉE, LE PRINTEMPS A BU DE LA POTION MAGIQUE !!!

GRRRR !

PUIS LA POTION QUI RENFORCE LA CONFIANCE EN SOI. PLUS RIEN NI PERSONNE NE LEUR RÉSISTERA !

OUAIS ! APPROCHEZ SI T'ES UN HOMME !!

VENEZ ICI SI VOUS OSEZ !!

GRRRR !

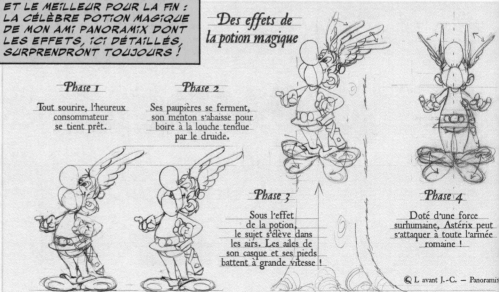

ET LE MEILLEUR POUR LA FIN : LA CÉLÈBRE POTION MAGIQUE DE MON AMI PANORAMIX DONT LES EFFETS, ICI DÉTAILLÉS, SURPRENDRONT TOUJOURS !

Des effets de la potion magique

Phase 1
Tout sourire, l'heureux consommateur se tient prêt.

Phase 2
Ses paupières se ferment, son menton s'abaisse pour boire à la louche tendue par le druide.

Phase 3
Sous l'effet de la potion, le sujet s'élève dans les airs. Les ailes de son casque et ses pieds battent à grande vitesse !

Phase 4
Doté d'une force surhumaine, Astérix peut s'attaquer à toute l'armée romaine !

© L avant J.-C. – Panoramix

LES POTIONS MAGIQUES, C'EST DU DÉJÀ VU. ASTÉRIX ET OBÉLIX MÉRITENT MIEUX, ILS SONT FAITS POUR L'ART DRAMATIQUE !

REGARDEZ-LES ! CE CHARISME ! CETTE PRESTANCE !

...S ONT TOUT POUR DEVENIR LES HÉROS LES PLUS RENOMMÉS DE NOTRE TEMPS. ...ETTONS DONC LEURS AVENTURES EN SCÈNE DANS DE GRANDS SPECTACLES !

ILS FERONT MAIN BASSE SUR LA GLOIRE, JE VOUS L'AFFIRME !

MAIS QUI POUR INTERPRÉTER ASTÉRIX ET OBÉLIX ? DES COMÉDIENS ? PAR TOUS LES DIEUX, VOILÀ QUI EST ABSURDE...

ET COMPTEZ PAS SU' MOI POU' JOUER MON P'OP'E 'ÔLE !

MAIS PEUT-ÊTRE QU'AVEC DE LA MUSIQUE...

DE L'ACTION !

DE L'AMOUR...

PAS SI VITE, MES COCOS ! LE THÉÂTRE, ÇA NE S'IMPROVISE PAS !

VOUS AVEZ L'ENTHOUSIASME DES DÉBUTANTS, ET DES CHOSES À EXPRIMER. C'EST TRÈS BIEN MAIS...

J'AI MIEUX ! NOUS ALLONS IMAGINER UN THÉÂTRE COMME ON N'EN A JAMAIS VU !

36

D'après Delacroix

D'AILLEURS AVEC OBÉLIX LES ROMAINS EN VERRONT DE TOUTES LES COULEURS. ET LES DIEUX ME DISENT QU'UNE SALLE DE CE MUSÉUM SERA LEUR DOMAINE...

IL PARAÎT QU'ON APPELLE ÇA UNE COMPRESSION.

C'EST COMPRÉHENSIBLE.

F'EST DOULOUREUX FURTOUT !

LÀ, C'EST UNE ACCUMULATION.

QUELLE COLLECTION ! NOS LÉGIONNAIRES DOIVENT EN AVOIR PAR-DESSUS LA TÊTE DE CES GAULOIS.

FA, F'EST FÛR !

Casques romains, L avant J.-C.
Collection personnelle de l'artiste

QUELLE MODERNITÉ ! CE TRAVAIL SUR LA COULEUR VA RÉVOLU-TIONNER LA PEINTURE !

QUELLE INVENTION !

QUELLE IDÉE ?

J'AI CRÉÉ UNE POTION QUI DONNE LE MÊME RÉSULTAT. ÇA EST DRÔLEDEMENT DRÔLE !

JE NE ME SENS PAS TRÈS BIEN...

POUR SÛR ÇA EST LE RÉSULTAT D'UN REPAS TROP FRUGAL, SAIS-TU ?

OU D'UNE INDIGESTION DE POISSON PAS FRAIS.

AH ! LES GOÛTS ET LES COULEURS, ÇA NE SE DISCUTE PAS !

45

EMBALLAGES, INSTALLATIONS, ART MONUMENTAL... OBÉLIX FERA PREUVE D'UNE INVENTION SANS LIMITES !

CETTE NOUVELLE FORME D'ART M'EMBALLE.

J'AI DÉJÀ VU ÇA EN ÉGYPTE. LÀ-BAS, ILS APPELLENT ÇA DES MOMIES.

?

EN PLUS CE PLI EST PRÊT À ÊTRE ENVOYÉ PAR LA POSTE !

ON DIRAIT QUE LE COURS DU MENHIR S'ENVOLE.

C'EST POURQUOI JE N'ACHÈTE PLUS QUE DES DOLMENS. IL FAUT TOUJOURS INVESTIR DANS LA PIERRE.

Monument aux menhirs, Obélix, L avant J.-C.

L'ART DE MES CONTEMPORAINS ME FAIT UN PEU PEUR...

JUSTEMENT ! LA PEUR EST AUSSI UNE SOURCE D'INSPIRATION. JE VOIS D'AILLEURS UN PORTRAIT DE GOUDURIX TRÈS ÉTONNANT !

D'après Courbet

CES JEUNES... IL FAUT TOUJOURS QU'ILS SE FASSENT REMARQUER !

CETTE ŒUVRE DÉCHIRANTE M'INSPIRE UNE ODE...

QUE JE TE DÉCONSEILLE D'ENTONNER SI TU NE VEUX PAS ÊTRE LE PROCHAIN DÉSESPÉRÉ SUR LE TABLEAU !

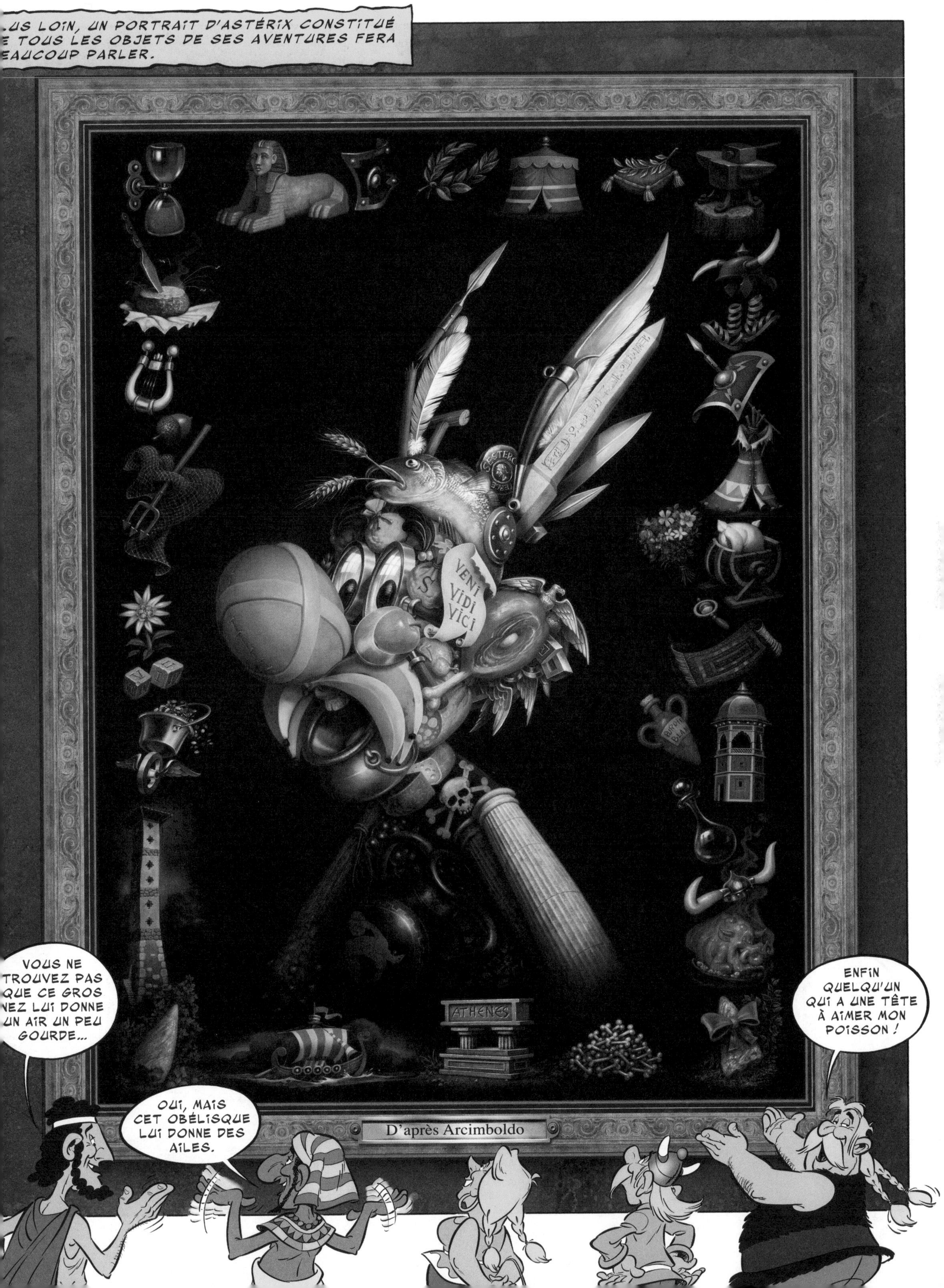

VENI VIDI VICI

ATHENES

D'après Arcimboldo

VOUS NE TROUVEZ PAS QUE CE GROS NEZ LUI DONNE UN AIR UN PEU GOURDE...

OUI, MAIS CET OBÉLISQUE LUI DONNE DES AILES.

ENFIN QUELQU'UN QUI A UNE TÊTE À AIMER MON POISSON !

49

PENDANT CE TEMPS, LA GALÈRE DE LA REINE CLÉOPÂTRE A ACCOSTÉ SUR LA CÔTE ARMORICAINE QUI BORDE LE CAMP ROMAIN RETRANCHÉ DE PETIBONUM...

CRAC!

BOUM!

COMMENT OSES-TU REFUSER L'INVITATION DES GAULOIS, JULES?

MAIS, MA REINE, CES GAULOIS SONT MES PIRES ENNEMIS ET JE...

ASSEZ!!! TU OUBLIES QUE SANS CES GAULOIS TON FILS CÉSARION SERAIT ENTRE LES MAINS DE L'INFÂME BRUTUS!

JE L'ADMETS, Ô MA REINE!... CEPENDANT JE...

☆ VOIR "LE FILS D'ASTÉRIX".

IL SUFFIT!!! JE VEUX QU'IL EN SOIT AINSI!!!

CRAC!

D'ACCORD! D'ACCORD! JE ME SOUMETS ET JE RÉPONDRAI PRÉSENT À CETTE INVITATION, MA REINE!

D'AILLEURS JE LEUR FERAI PARVENIR LE CADEAU QU'IL SIED POUR LEUR ANNIVERSAIRE!

OUAIS!! ET QU'ÇA SAUTE!

QUAND LA MOUTARDE LUI MONTE AU NEZ, QU'ELLE A POURTANT JOLI, CLÉOPÂTRE PERD UN PEU DE SA SUPERBE!

ET RENTRÉ AU CAMP DE PETIBONUM...

QUE L'ON AILLE QUÉRIR MON MEDICAMENTARUS☆ CELUI QUI CONÇOIT MES ONGUENTS! ILLICO PRESTO!

TOC!

☆ PHARMACIEN

JE SUIS À TES ORDRES, Ô GRAND CÉSAR !...

CHOLÉRAMORBUS ! J'AI L'INTENTION D'OFFRIR AUX GAULOIS QUI FÊTENT LEUR ANNIVERSAIRE UN CADEAU QUE SEUL TU PEUX ME PRÉPARER !

J'AI L'IDÉE D'UNE JARRE CONTENANT UN VIN D'UN GRAND CRU COMME TOI SEUL SAIS LES VINIFIER !

GNIN ! GNIN ! GNIN ! TU SERAS SATISFAIT, Ô SUBLIME CÉSAR !

HÉ ! HÉ ! JE VAIS FAIRE D'UNE PIERRE DEUX COUPS ! JE SATISFAIS CLÉOPÂTRE ET JE PRENDS UNE REVANCHE SUR CES SATANÉS GAULOIS !

PLUS TARD...

VOICI CE QUE TU M'AS DEMANDÉ, Ô GRANDISSIME CÉSAR ! UN BREUVAGE QUI RAVIRA LES PAPILLES QUI LE DÉGUSTERONT ! GNINGNINGNINGNIN !!!

VOICI POUR TON SERVICE, CHOLÉRAMORBUS !

QUE JUPITER TE PROTÈGE JUSQU'À LA FIN DES TEMPS, Ô SUBLIMISSIME CÉSAR !

MAINTENANT, QUE L'ON CONVOQUE CHAQUE CENTURION DES QUATRE CAMPS RETRANCHÉS !

AVÉ CÉSAR ! CEUX QUI VONT TE SERVIR TE SALUTANT !

OUI, AVÉ AVÉ ! JE VAIS VOUS CONFIER UNE MISSION !

VOUS SEREZ MES AMBASSADEURS EN TRANSPORTANT CETTE JARRE AU VILLAGE GAULOIS !

?!?!?!

HEU !... AU VILLAGE DES FOUS ?!

C'EST UNE OPÉRATION... DÉLICATE, ÇA !

PEUT-ON AU MOINS ÊTRE ACCOMPAGNÉS PAR NOS CENTURIES RESPECTIVES ?!

C'EST QUE MOI... JE NE ME SENS PAS TRÈS EN FORME EN CE MOMENT !

CONTINUEZ ET JE VOUS ENVOIE SERVIR DE HORS-D'ŒUVRE AUX LIONS DU CIRQUE !

ET QU'ÇA SAUTE! NON MAIS SANS BLAAAGUE!!!

QUAND LA MOUTARDE LUI MONTE AU NEZ, LE GRAND CÉSAR PERD UN PEU DE SA SUPERBE!

ET PEU APRÈS...

PANORAMIX! IL Y A À L'ENTRÉE DU VILLAGE QUATRE ROMAINS QUI DISENT APPORTER UN CADEAU DE CÉSAR!

?

A... AVÉ!... CETTE JARRE DE... HEU!... DE BON VIN... HEU! DE LA PART DE... HEU! DE CÉSAR!

C'EST BIEN AIMABLE DE LA PART DU GRAND JULES!

HMMM! JE HUME AVEC DÉLICE LE BOUQUET DE CE GRAND CRU VENU TOUT DROIT DES GRANDS CÉPAGES DE ROME!

AFIN DE VOUS RÉCOMPENSER NOUS ALLONS LE GOÛTER ET TRINQUER À LA SANTÉ DE CÉSAR!

QUE L'ON APPORTE DES CORNES À BOIRE POUR CES MESSIEURS!

AVÉ CÉSAR! CEUX QUI VONT TRINQUER À TA SANTÉ TE SALUTANT!

ALORS COMME ÇA ON FAIT LA FÊTE ET ON NE ME PRÉVIENT PAS ??!!!

GLOP! GLOP!

GLOP! GLOP!

GLOP! GLOP!

GLOP! GLOP!

?

ÇA GARGOUILLE OUILLE!

GNIIII!

AÏE! OUILLE!

OUILLOUILLE! MON VENTRE!

VIIIIIITE! DES LATRINÆ*!!

VRAOUFFFF!

MAIS JE N'AI PAS CHANTÉ, MOI !?

HÉ ! HÉ ! ILS FUIENT PARCE QUE, SOUS PEU, ILS VONT FUIR DOUBLEMENT !

*LATRINES EN LATIN

ILS ONT GOÛTÉ AU CONTENU DE CETTE JARRE QUI EST REMPLIE D'UNE PUISSANTE PURGE ! L'HUILE DE RICIN*! ET CE SERA LE PLUS BEAU "FIASCO" DE JULES CÉSAR !

CURIEUX CES ROMAINS QUI S'ENFUIENT AVANT QU'ON NE PUISSE LEUR COURIR APRÈS !?

ET EN PLUS, CEUX-LÀ NE SENTENT PAS LA ROSE !

ENFIN, VOUS VOILÀ ! DÉPÊCHEZ-VOUS D'ALLER VOUS PRÉPARER ! UNE GRANDE SURPRISE VOUS ATTEND !

PARDON, PANORAMIX... HEU ! POUR LE LIVRE SUR LE NEZ !!!

BAH ! JE TE PARDONNE ! MAIS VA VOIR MADAME AGECANONIX QUI T'ATTEND !

SUR LE CHEMIN QUI MÈNE AU VILLAGE GAULOIS...

MA REINE ! TU CONSTATERAS QUE J'AI TENU PAROLE !

VIIIITE!

LES IMBÉCILES !! ILS ONT GOÛTÉ AU CONTENU DE LA JARRE !

CÉSAR ! QUAND TU ES PRÈS DE MOI, JE SOUHAITERAIS QUE TU PUISSES TE RETENIR, ENFIN !...

MAIS... MA REINE ! JE TE JURE QUE...

*BEAUCOUP PLUS TARD ET POUR MÉMOIRE, LES SBIRES DE MUSSOLINI, À L'ÉPOQUE DU FASCISME, SE SERVIRONT ÉGALEMENT DE L'HUILE DE RICIN POUR FAIRE AVOUER LEURS PRISONNIERS.

Et c'est ainsi que, tous réunis sur la place du Villag
les convives font à leurs amis la plus belle
des surprises.

HAPPY BIRTHDAY

gratulerer med dagen

С Днем рождения

誕生日おめでと

Parabéns

생일축하합니다

feliç aniversari!

Tillykke med fødselsdagen!

Všechno nejlepší!

Wszystkiego najlepszego!

יום הולדת שמח

Hartelijk gefeliciteerd !

GRATTIS PÅ FÖDELSEDAGEN

শুভ জন্মদিন

FELIZ ANIVERSÁRIO

Buon Compleanno

JOYEUX ANNIVERSAIRE

ZORIONA

Permettez-moi de citer tous ceux qui ont contribué à confectionner cet ouvrage en apportant leur talent :

Régis GRÉBENT, responsable du Studio 56, et toute son équipe.
Frédéric et **Thierry MÉBARKI**, deux frères au talent remarquable.
Dionen CLAUTEAUX, fils de celui qui a eu l'idée de créer le journal *PILOTE*.

Et toutes celles et tous ceux qui, nombreux, ont cru à ce *LIVRE D'OR*.

Albert UDERZO

كل سنة وأنت طيب

✻ ✻ ✻ ✻ ✻ ✻ ✻

Ευτυχισμένα Γενέθλια

Feliz cumpleañ

© 2009 LES ÉDITIONS ALBERT RENÉ / GOSCINNY-UDERZO
Dépôt initial : octobre 2009

Impression en août 2009 - n° 230-3-01

ISBN : 978-2-86497-230-3

Impression et reliure : Imprimerie Pollina, 85400 Luçon, France - n° L22061

Loi n° 49956 du 16 juillet 1949 sur les publications destinées à la jeunesse

AVEZ-VOUS TOUT LU ?

LES ALBUMS D'ASTÉRIX LE GAULOIS

AUX ÉDITIONS HACHETTE

LES AVENTURES D'ASTÉRIX LE GAULOIS

1 ASTÉRIX LE GAULOIS
2 LA SERPE D'OR
3 ASTÉRIX ET LES GOTHS
4 ASTÉRIX GLADIATEUR
5 LE TOUR DE GAULE D'ASTÉRIX
6 ASTÉRIX ET CLÉOPÂTRE
7 LE COMBAT DES CHEFS
8 ASTÉRIX CHEZ LES BRETONS
9 ASTÉRIX ET LES NORMANDS
10 ASTÉRIX LÉGIONNAIRE
11 LE BOUCLIER ARVERNE
12 ASTÉRIX AUX JEUX OLYMPIQUES
13 ASTÉRIX ET LE CHAUDRON
14 ASTÉRIX EN HISPANIE
15 LA ZIZANIE
16 ASTÉRIX CHEZ LES HELVÈTES
17 LE DOMAINE DES DIEUX
18 LES LAURIERS DE CÉSAR
19 LE DEVIN
20 ASTÉRIX EN CORSE
21 LE CADEAU DE CÉSAR
22 LA GRANDE TRAVERSÉE
23 OBÉLIX ET COMPAGNIE
24 ASTÉRIX CHEZ LES BELGES

LA GRANDE COLLECTION

1 ASTÉRIX LE GAULOIS
2 LA SERPE D'OR
3 ASTÉRIX ET LES GOTHS
4 ASTÉRIX GLADIATEUR
5 LE TOUR DE GAULE D'ASTÉRIX
6 ASTÉRIX ET CLÉOPÂTRE
12 ASTÉRIX AUX JEUX OLYMPIQUES

ALBUM DE FILM

LES DOUZE TRAVAUX D'ASTÉRIX

AUX ÉDITIONS ALBERT RENÉ

LES AVENTURES D'ASTÉRIX LE GAULOIS

25 LE GRAND FOSSÉ
26 L'ODYSSÉE D'ASTÉRIX
27 LE FILS D'ASTÉRIX
28 ASTÉRIX CHEZ RAHÃZADE
29 LA ROSE ET LE GLAIVE
30 LA GALÈRE D'OBÉLIX
31 ASTÉRIX ET LATRAVIATA
32 ASTÉRIX ET LA RENTRÉE GAULOISE
33 LE CIEL LUI TOMBE SUR LA TÊTE
34 L'ANNIVERSAIRE D'ASTÉRIX ET OBÉLIX - LE LIVRE D'OR

LA RENTRÉE GAULOISE - Alsacien - Breton - Corse - Gallo - Occitan - Picard
LE GRAND FOSSÉ - Picard
ASTÉRIX CHEZ RAHÃZADE - Arabe - Hébreu
LE CIEL LUI TOMBE SUR LA TÊTE - Latin

LA GRANDE COLLECTION

25 LE GRAND FOSSÉ
26 L'ODYSSÉE D'ASTÉRIX
27 LE FILS D'ASTÉRIX
28 ASTÉRIX CHEZ RAHÃZADE
29 LA ROSE ET LE GLAIVE
30 LA GALÈRE D'OBÉLIX
31 ASTÉRIX ET LATRAVIATA
32 ASTÉRIX ET LA RENTRÉE GAULOISE

HORS COLLECTION

LA GALÈRE D'OBÉLIX - VERSION TOILÉE
ASTÉRIX ET LATRAVIATA - L'ALBUM DES CRAYONNÉS
LE CIEL LUI TOMBE SUR LA TÊTE - VERSION LUXE
Crayonnés et couleurs / Grand format
LE LIVRE D'ASTÉRIX LE GAULOIS
UDERZO de Flamberge à Astérix
ASTÉRIX ET SES AMIS - HOMMAGE À ALBERT UDERZO

ALBUM ILLUSTRÉ

COMMENT OBÉLIX EST TOMBÉ DANS LA MARMITE
DU DRUIDE QUAND IL ÉTAIT PETIT

ALBUMS DE FILM

LA SURPRISE DE CÉSAR
LE COUP DU MENHIR
ASTÉRIX ET LES INDIENS
ASTÉRIX ET LES VIKINGS
ASTÉRIX AUX JEUX OLYMPIQUES

CATALOGUES D'EXPOSITIONS

LE MONDE MIROIR D'ASTÉRIX - VERSION FRANCE
ILS SONT FOUS... D'ASTÉRIX

DES MÊMES AUTEURS AUX ÉDITIONS ALBERT RENÉ

LES AVENTURES D'OUMPAH-PAH LE PEAU-ROUGE

OUMPAH-PAH LE PEAU-ROUGE
OUMPAH-PAH SUR LE SENTIER DE LA GUERRE / OUMPAH-PAH ET LES PIRATES
OUMPAH-PAH ET LA MISSION SECRÈTE / OUMPAH-PAH CONTRE FOIE-MALADE

LES AVENTURES DE JEHAN PISTOLET

JEHAN PISTOLET, CORSAIRE PRODIGIEUX   JEHAN PISTOLET ET L'ESPION
JEHAN PISTOLET, CORSAIRE DU ROY   JEHAN PISTOLET EN AMÉRIQUE

ILS SONT FOUS CES ROMAINS !